蹦！

松冈达英 文/图　蒲蒲兰 译

青蛙……

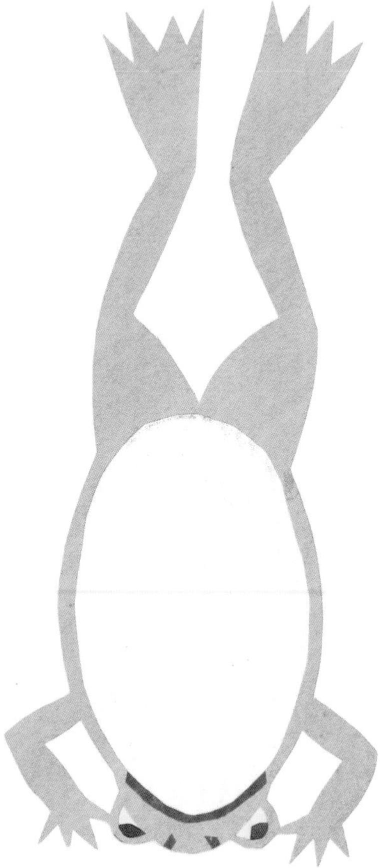

蹦！

猫咪……

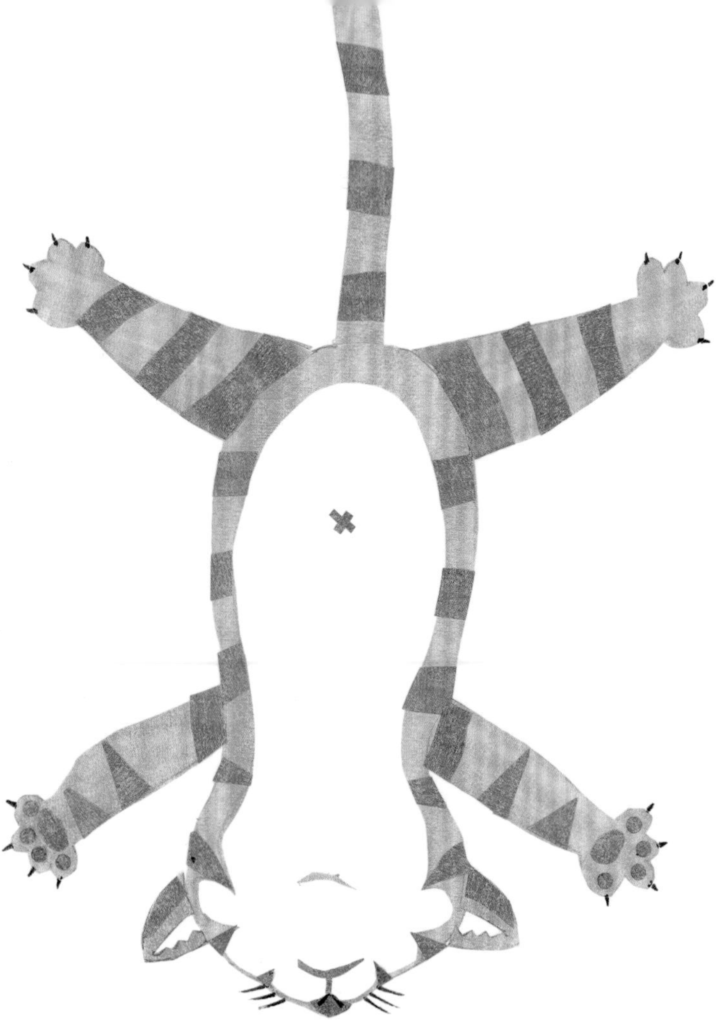

蹦！

小狗……

上
下
蹦！

蝗 虫……

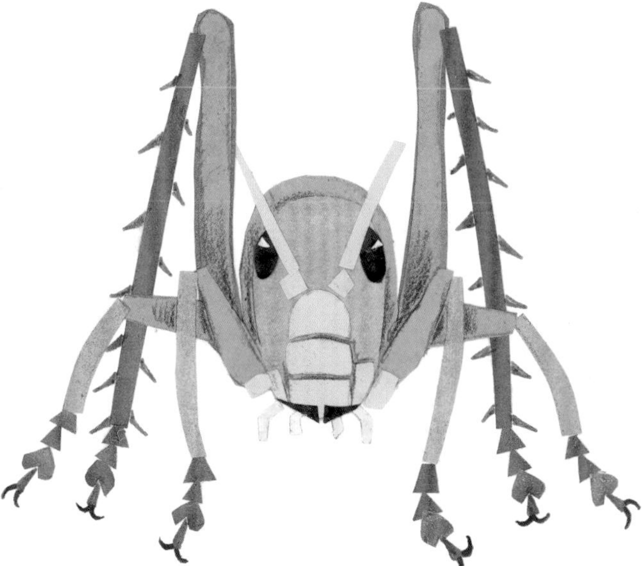

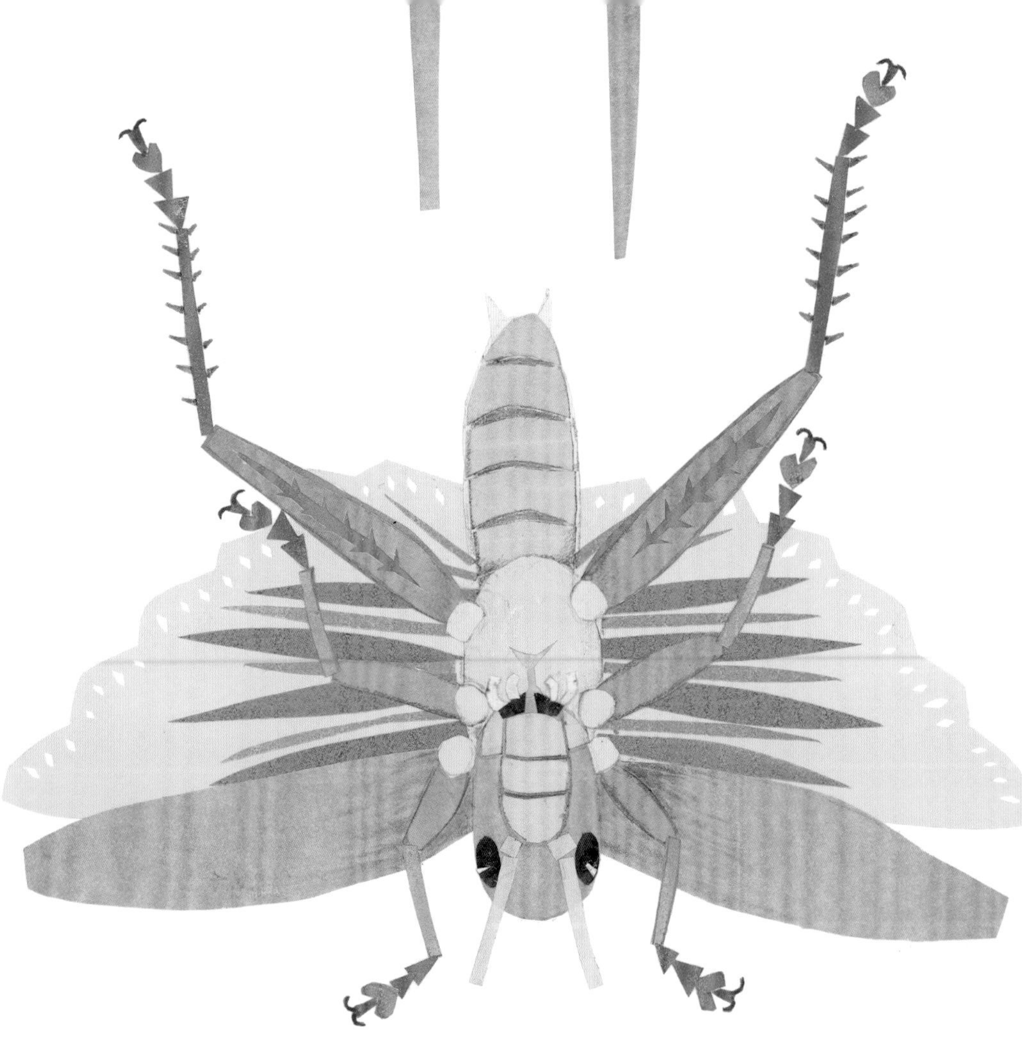

蹦！

小兔子……

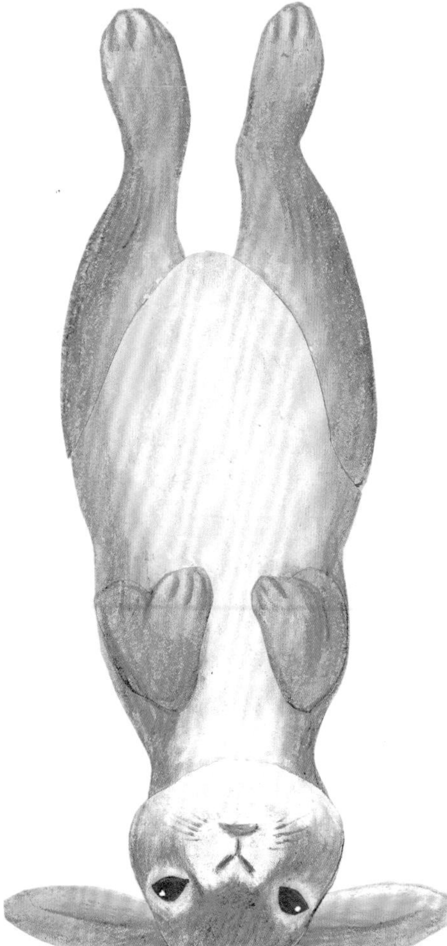

蹦～～！

蜗牛……

蹦不了……

母 子……

蹦！

蹦~!

……更

蹦！

我 也……

蹦！